Ilustrado por Sally Kindberg
Fotografía de Peter Anderson,
Paul Bricknell, Geoff Brightling,
Jane Burton, Peter Chadwick, Andy
Crawford, Geoff Dann, Mike Dunning,
Neil Fletcher,
Martin Foote, Steve Gorton, Frank
Greenaway, Colin Keates, Dave King,
Cyril Laubscher, Ray Moller, Tracy Morgan,
Stephen Oliver, Susanna Price, Karl Shone,
Steve Shott, Kim Taylor, Jerry Young.

Los editores quisieran agradecer el permiso
otorgado para la reproducción de sus
fotografías a:

a = arriba, c = centro, b = abajo,
i = izquierda, d = derecha,
s = parte superior

La noche
Robert Harding Picture Library: Richard Pharaoh
6-7; **Oxford Scientific Films**: M. P. L. Fogden 9bd;
Pictor International: 3b, 5, 11si; The Stock
Market: Photo Agency UK 4-5; Tony Stone
Images: James Balog, 7c; Cosmo Condina 11bd;
Zigy Kaluzny 10 bd.

Lámina
Oxford Scientific Films: Rob Nunnington sci;
PowerStock/Zefa: cd; **Tony Stone Images:**
Silvestre Machado i.

El día
Ardea London Ltd: Ferrero-Labat 9ci; **Colorific!:**
Michael Yamashitaa 5 si; **Pictor International:** 6b;
The Stock Market: Photo Agency UK 11si; **Tony
Stone Images:** 4-5b; Gary Braasch 7 si;
Mike McQueen 3c;
Laurence Monnerat 11si.

Portada
Robert Harding Picture Library: Richard Pharaoh
luna; **The Stock Market**: Photo Agency UK *casa*;
Tony Stone Images: *campo*.

Contenido

Índice de la noche

LA NOCHE

Descubre el mundo en la oscuridad de la noche

Claire Llewellyn

Casa Autrey
División Publicaciones

La **tarde** es el **inicio** de una larga y **oscura** noche.

Cazador nocturno
Al anochecer,
los búhos dejan
sus refugios diurnos
y cazan su comida.

Ala de plumas
suaves que no
hace ruido.

El crepúsculo

Al caer la noche, el cielo se oscurece y sale la Luna. El aire se enfría.

Algo de día
Por la tarde el Sol desaparece por el oeste. Llamamos a esto crepúsculo.

Algo de noche
Por la mañana el Sol aparece por el este. Llamamos a esto alborada.

¡Buenas noches!

Durante la noche muchos animales se preparan para dormir.

Luces de la ciudad

Cuando la luz del día desaparece se encienden las luces. Los rascacielos brillan en la oscuridad.

La **Luna** y las **estrellas** iluminan el cielo nocturno.

Media Luna

Observa la Luna
La Luna parece cambiar de forma cada noche porque el Sol ilumina diferentes partes de ella.

Cuarto creciente

Unos binoculares te ayudan a ver las estrellas lejanas.

Cometas

Algunas veces unas brillantes bolas de hielo llamadas cometas atraviesan el cielo nocturno.

Algo de noche

La luna es una bola de roca en el espacio. Gira en torno a nuestro planeta.

Algo de día

El Sol es la estrella más cercana. Es una bola gigante de gas que se quema.

Floración nocturna

Este cactus abre sus fragantes flores blancas por la noche.

Un cometa tiene una larga cola de gas y polvo.

Los pétalos blancos resaltan en la oscuridad.

Los **animales** nocturnos tienen un **fino** oído y **enormes** ojos.

Un cazador de oído

Los murciélagos cazan al escuchar los ecos que rebotan en los insectos voladores.

Oscuro y húmedo

Los caracoles se alimentan de noche, cuando el aire es fresco y húmedo.

Ojos grandes

Un gálago tiene ojos grandes como canicas. Puede ver bien en la oscuridad.

Algo de noche
Un cocuyo despide luz durante la noche, lo que le ayuda a atraer a una compañera.

Algo de día
Un ave del paraíso tiene plumas brillantes para atraer una pareja.

Ojos brillantes

Los ojos de los mapaches tienen una cubierta brillante. Cualquier luz los hace brillar en la oscuridad.

La gente cansada duerme y sueña toda la noche.

Hora de dormir
Leer un cuento es una buena manera de relajarse antes de ir a la cama.

Una buena noche de sueño
El sueño hace descansar a nuestro cuerpo. Nos da energía y nos ayuda a pensar.

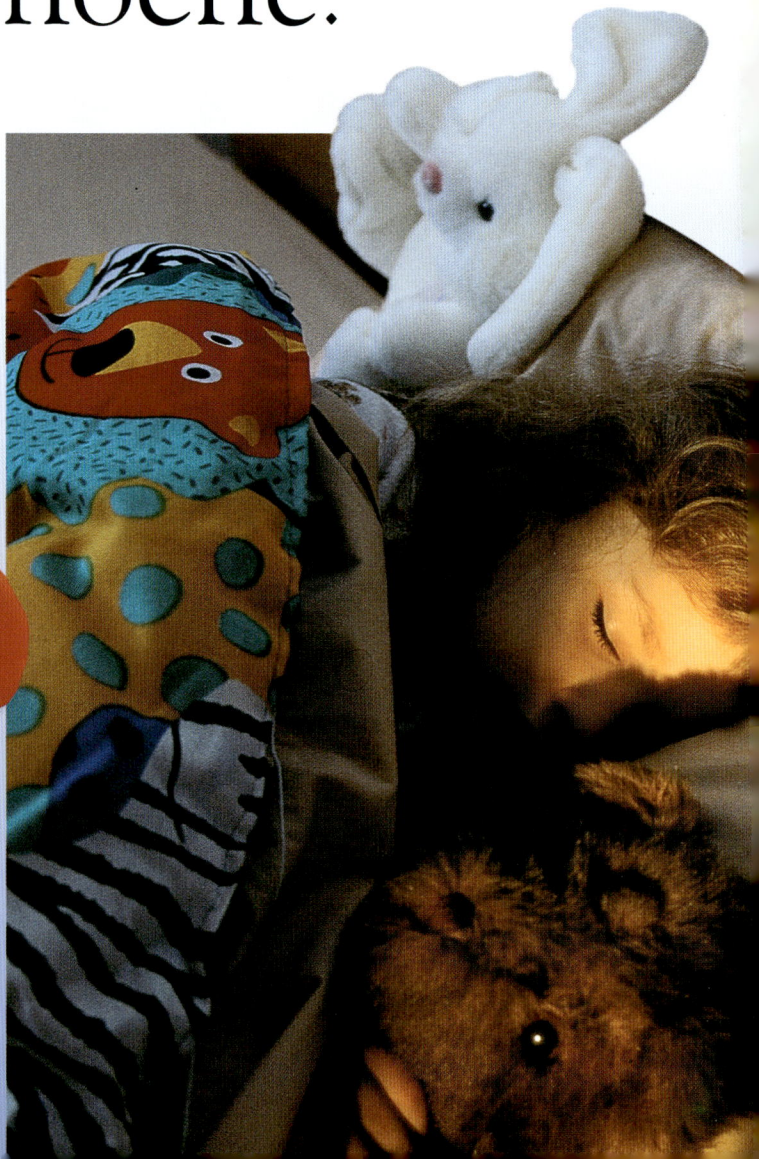

Madrugada

Noche

De cabeza
Los murciélagos descansan colgados de cabeza entre sus viajes de cacería nocturnos.

Luces bienvenidas
Al caer la noche, las luces de la bahía guían a los barcos para que lleguen a salvo al puerto.

...ín del día
...os nenúfares
...ierran sus pétalos
conforme
desaparece
la luz
del día.

Puesta de Sol
En lugares cercanos al Ecuador, el Sol se pone a la misma hora todos los días.

Algo de noche
Los fuegos artificiales se ven maravillosos en la oscuridad. Iluminan el cielo.

Algo de día
Es divertido ver un desfile de carnaval con disfraces, banderas y carros alegóricos.

La gente se acuesta para dormir.

Trabajadores nocturnos
Los hospitales siempre están activos. Los médicos y enfermeras trabajan durante la noche.

Vida nocturna
Es emocionante salir de noche en una ciudad, para ver una obra de teatro o la película más reciente.

¿Podría alimentarse de noche una abeja?

No. Una abeja encuentra su comida en las flores de colores y sólo puede verlas de día.

Abre las ventanas para ver las diferencias entre el día y la noche.

Una gran Luna

La Luna se ve enorme, pero sólo es aproximadamente del tamaño de Australia.

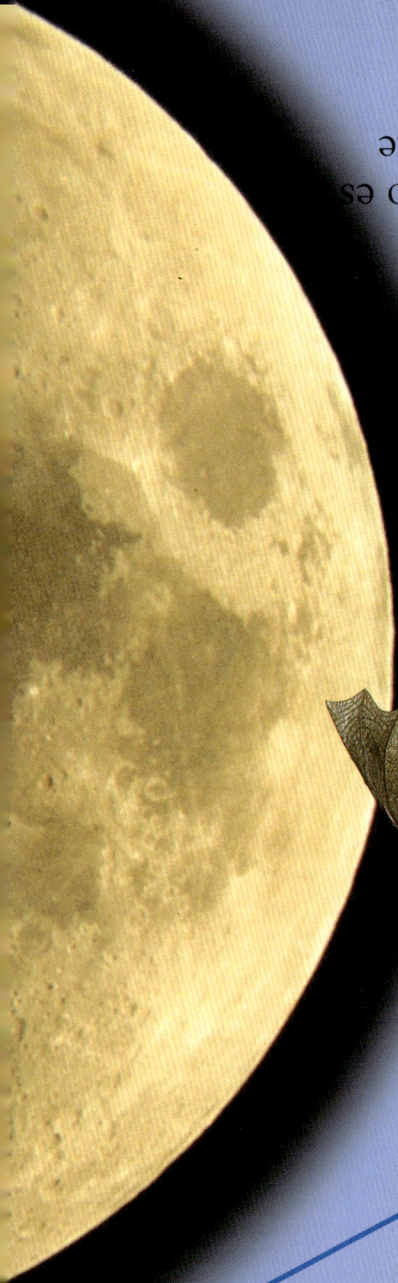

Dormilones

¡Pasarás aproximadamente 25 años de tu vida dormido!